그 결의 끝에서

육예서 지음

- 목 차 -

프롤로그

익숙한 공허함

 도서관의 공기는 늘 일정했다. 적당히 따뜻하고, 적당히 차갑다. 사람들이 드나들며 흘려 놓은 흔적들, 먼지 냄새가 섞인 책 냄새가 느껴질 때쯤이면 이미 하루가 끝나 있었다. 지한은 대출창구 너머로 책을 반납하러 온 사람들을 바라보며 그들에게 대답할 문장을 떠올렸다.

 "네, 대출은 2주간 가능합니다."

 "반납일은 다음 주 목요일입니다."

 "도서관 휴무일은 매 월 마지막 주 월요일입니다."

 대본처럼 익숙한 말이었다. 누가 와서 무슨 말을 하든, 지한은 이 대사만 반복할 뿐이었다. 상대의 목소리나 표정을 굳이 느낄 필요도 없었다. 감정 없는, 단순히 흘러가는 시간이었다. 그날도 별다른 일은 없었다. 창밖으로는 겨울 햇살이 기웃거리며 희미한 그림자를 만들어 내고 있었다. 지한은 문득 자신의 손을 내려다보았다. 건조한 손끝, 손톱 주변에 트인 피부. 오래된 기계처럼 삐걱거리는 움직임에 불편함을 느꼈지만, 특별히 감정이 일진 않았다.

'이게 아프긴 한 걸까?'

자신에게 묻는 것조차 어색했다. 지한은 반납 도서를 정리하며 자동화된 기계처럼 움직였다. 가끔은 자신이 정말 살아있는지, 아니면 반복된 일상의 부품이 되어가는 것 인지 헷갈렸다. 대출창구로 다가온 한 여성이 말을 걸었다.

"이 책, 참 좋네요. 추천해 주신 책 맞죠?"

지한은 멈칫하며 그 여성의 얼굴을 바라보았다. 그러나 어떤 대답을 해야 할지 몰라 고개를 살짝 끄덕였다. 자신이 그런 말을 한 기억이 전혀 없었다.

"다음에도 추천 부탁드릴게요!"

여자는 밝게 웃으며 돌아섰다. 지한은 그 장면을 바라보며 마음 한구석이 간지러운 듯했지만, 곧 사라졌다. 그녀의 일상은 그러했다. 잠시 들려오는 사람들의 이야기가 마치 라디오 소음처럼 그녀를 스쳐 지나갔다. 일이 끝난 후, 지한은 집으로 돌아왔다. 작고 정돈된 방 안에는 따뜻한 불빛만이 그녀를 맞이했다.

"아⋯. 이게 편한 걸까?""

그녀는 가방을 내려놓고 아무렇게 소파에 몸을 기댔다. 텔레비전을 켜지지 않았고, 핸드폰 알람도 울리지 않았다. 식탁 위에 놓인 차가운 컵을 손에 쥐었다.

"내가 뭘 먹었더라?"

지한은 오늘 하루를 되짚어보려고 했지만, 머릿속에 떠오르는 건 도서관 창문 너머로 보이던 나뭇가지와 참새들뿐이었다.

"괜찮은 하루였겠지."

그녀는 혼잣말로 스스로를 설득했다. 아니, 설득하려 했다. 그러나 그 말에는 어떤 의미도 실리지 않았다. 가만히 숨을 들이쉬고 내쉬며, 머릿속으로 공허한 질문을 던졌다.

'언제부터 이런 거였을까?'

책장에 꽂혀 있는 책에 시선을 끌었다. 대부분은 도서관에서 읽고 싶어서 가져왔지만 끝내 펼쳐보지 못한 것 들이었다. 그 중 한권을 꺼내 들었으나, 첫 페이지를 넘기기 전에 다시 덮었다. 머릿속은 여전히 텅 비어 있었다. 잠자리에 누운 지한은 천장을 바라보며 흐릿한 기억을 떠올렸다. 어린 시절, 부모님과 함께했던 작은 집. 어머니가 저녁 밥을 준비하며 불러주던 노래, 아버지가 생일에 선물해주었던 작은 나무 의자.

"나무의자….."

그 기억은 따뜻했다. 그러나 오래도록 붙잡아 둘 수는 없었다. 기억은 곧 희미 해지며 다른 감정으로 치환됐다. 차갑고 공허한 무언가가 마음속을 채웠다. 차갑게 식은 손, 어두운 방 안에서 울려 퍼지던 전화 벨 소리. 그리고 문을 두드리던 경찰의 손길. 지한은 몸을 웅크렸다. 공허한 감정이 또 다시 그녀를 삼켰다. 눈물이 나올 법도 했지만, 나오지 않았다. 그것이 더 무서웠다. 감정이 없다면, 고통조차 느낄 수 없을 테니까. 방 한가운데 놓인 시계는 조용히 흐르고 있었다. 딱, 딱, 딱. 마치 그녀의 멈춰버린 삶을 조롱하는 듯한 소리였다.

제 1 장

시작의 첫 만남

지한은 도서관 창문 너머로 보이는 한결을 처음 본 날을 또렷이 기억했다. 겨울의 낮은 햇빛이 서쪽으로 기울며 도서관 창문에 엷은 그림자를 드리웠다. 지한은 잠시 일을 멈추고 창 밖을 내다보았다. 건너편에는 오래된 건물이 하나 있었다. 작은 간판이 눈에 띄지 않게 걸려 있었다. "이한결 목공소" 라는 글자 아래엔 톱과 망치 그림이 있었다. 지한은 무심히 그 간판을 바라보다가, 그곳에서 일을 하고 있는 한 사람을 떠올렸다. 큰 키에 훤칠한 얼굴. 그가 그곳에서 일하고 있다는 사실을 안 건 우연이었다. 주말마다 목재를 옮기는 그의 모습을 가끔 본 적이 있었지만, 지한은 그를 제대로 관찰한 적은 없었다.

"위이잉-"

그날도 작업실 안에서 나무를 다루는 소리가 희미하게 들려왔다. 두꺼운 나무판을 천천히 밀어내며 손으로 결을 따라 깎아내는 모습이 눈에 들어왔다. 그는 한 손으로는 나무를 고정시키고, 다른 손으로는 조심스럽게 작업을 하고 있었다. 나무 조각들이 바닥에 떨어지는 소리가 희미하게 들렸고, 그의 손길은 마치 물결처럼 부드러워 보였다.

"우와….”

지한은 그를 넋을 놓고 쳐다보고 있었다. 지한은 그가 무엇을 만드는지 궁금했지만, 곧 창문에서 눈을 돌렸다. 그런 호기심조차 그녀 자신에겐 사치처럼 느껴졌다. 퇴근길, 지한은 집으로 가는 길목에서 자연스레 목공소 앞을 지나가게 되었다. 문이 열려 있었고, 나무 냄새가 바람에 섞여 날라왔다. 지한은 무심코 그곳을 한 번 더 바라보았다. 그곳에는 그가 서 있었다. 거칠고 튼튼해 보이는 손으로 망치를 쥔 채 무언가를 고정하고 있었다. 한결의 손놀림은 느리지만 확신에 차 있었다. 나무 위로 흩어진 톱밥들 사이에서 그는 고개를 들어 지한을 봤다.

"찾으시는 거라도 있나요?”

낯선 목소리에 지한은 놀라며 뒤로 한발짝 물러났다.

"아, 아니에요. 그냥 지나가던 길이었어요."

지한의 말에 그는 고개를 끄덕였다. 하지만 지한의 발걸음이 움직이지 않자, 그는 잠시 망치를 내려 놓고 그녀를 다시 바라보았다.

"안으로 들어와 보실래요? 다치지 않게 조심해서요."

지한은 그의 제안에 잠시 망설였지만, 무언가에 이끌리듯 그의 작업실로 들어갔다. 작업실은 크지 않았다. 한쪽 벽엔 톱과 대패, 작은 못들이 정리되어 있었고, 바닥엔 각종 나무 조각들이 널려 있었다. 그의 작업대 위에는 다듬어지지 않은 거친 나무판이 놓여 있었다.

"뭘 만들고 계신 거예요?"

지한은 물었다.

"의자예요. 아주 단순한 거지만, 누군가 편하게 앉을 수 있다면 그걸로 충분하죠."

그는 웃으며 말했다. 그의 웃음은 평범했지만, 지한은 그 속에서 묘한 안도감을 느꼈다.

"나무가 참 예쁘네요"

지한은 작업대 위에 놓인 나무판을 가리키며 말했다.

"예쁘긴요. 이건 사실 처음엔 폐목재였어요."

"폐목재요?"

그는 손으로 나무판을 천천히 쓰다듬으며 설명했다.

"이 나무는 원래 버려질 운명이었어요. 표면은 거칠고, 결도 엉망이라 쓸모 없다고 여겼죠. 그런데 잘 깎아 보면, 그 안에도 숨겨진 결이 있어요. 처음엔 보이지 않을 뿐이죠."

지한은 그의 이야기에 고개를 끄덕였지만, 그 말 속에 담긴 의미를 완전히 이해하지 못했다.

"그러니까 버려질 걸 다시 살린다는 거네요."

그는 짧게 웃으며 말했다.

"그렇게 보면 되겠네요. 다시 태어나는 셈이죠.

작업실은 나선 뒤, 지한은 묘한 기분에 사로

잡혔다. 그의 말투나 태도는 특별할 것 없는 평범한 것이었지만, 어딘가 부드럽고 따뜻한 울림이 있었다. 나무의 결이, 그리고 그것을 살리는 과정이 마치 자신의 모습과 겹쳐 보이는 듯했다. 지한은 그날 밤 잠자리에 누워 한 결의 말을 곱씹었다.

"버려질 운명이었지만, 숨겨진 결이 있다."

그녀는 자신에게도 그런 결이 있는지 처음으로 생각해 보았다.

제 2 장

두 번째 만남

그 다음 날이었다. 햇살이 희미하게 비치던 도서관. 그러나 지한은 그 따뜻함을 느끼지 못했다. 무겁고 묵직한 공기가 마음속 깊이 내려 앉아 지한을 괴롭히고 있었다. 손에 잡히는 책들은 모두 같은 무게를 지닌 듯했고, 눈앞의 일조차 집중하기 힘들었다. 책장을 정리하던 지한은 손을 멈추고 고개를 떨궜다. 숨을 깊게 마시려 했지만, 답답한 가슴은 쉽게 풀리지 않았다. 그렇게 한참을 서있던 그 때, 도서관 문이 열리는 소리가 들렸다. 낯익은 그림자였다. 한결이었다. 그는 천천히 도서관 안쪽으로 들어왔다. 지한은 그를 보며 마음이 잠시 흔들렸다. 몇 걸음 멈칫 하다가, 자신도 모르게 한결에게 다가갔다. 무겁게 가라앉았던 마음이 조금은 올라오는 듯한 느낌이었다.

"안녕하세요,"

지한이 먼저 인사를 건넸다. 목소리는 조금 건조했지만, 한결은 그 변화를 눈치채지 않은 듯 고개를 끄덕이며 미소를 지었다.

"안녕하세요. 다시 만나네요."

한결의 낮고 담담한 목소리는 어쩐지 안정감을 줬다. 그가 손에 쥐고 있던 작은 나무 조각이 눈에 띄었다. 지한은 잠시 그것을 바라보다 어색하게 말을 건넸다.

"오늘 무얼 찾으러 오셨어요?"

"요즘 시집이 끌리더라고요. 비슷한 책을 하나 더 빌려 볼까 해서요."

지한은 고개를 끄덕이며 그를 책장 쪽으로 안내했다. 그 사이, 한결은 조심스럽게 물었다.

"지한 씨, 괜찮으세요? 오늘 좀…. 힘들어 보이시는 것 같아서."

그 한마디에 지한의 발걸음이 멈췄다. 그녀는 한결의 얼굴을 바라보았지만, 말을 잇지 못했다. 한결의 눈빛에는 그저 순수한 걱정이 담겨 있었다. 부담스럽지도, 억지스럽지도 않은 눈빛이었다.

"그냥.. 조금 피곤 해서요."

　지한이 애써 웃으며 대답했다. 한결은 고개를 끄덕였지만, 더이상 묻지 않았다. 대신 옆에 가만히 서서 책장에 꽂힌 책들을 둘러보았다. 지한은 그의 침묵에 이상한 안도감을 느꼈다. 다른 사람이라면 이런 상황에서 괜히 위로의 말을 하거나 지나친 관심을 보였겠지만, 한결은 그러지 않았다. 그의 차분한 존재감은 지한의 마음을 서서히 덥혀주었다.

"이건 어떨까요?"

　지한이 한 권의 시집을 꺼내 한결에게 건넸다. 손이 미세하게 떨렸지만, 한결은 그것을 알아차리지 않은 듯 책을 받아 들고 페이지를 천천히 넘겼다.

"좋네요,"

　한결이 조용히 말했다.

"이런 글들은 사람을 가볍게 만들어 주는 것 같아요."

지한은 그 말에 가만히 고개를 끄덕였다. 한결의 손끝에서 책장이 넘어가는 소리가 작은 위로처럼 들렸다.

"저….”

 지한은 말문을 열었지만, 망설였다.

"네?”

 한결이 고개를 돌려 지한을 바라봤다. 그의 시선은 여전히 따뜻하고 조용했다.

"아무것도 아니에요,"

 지한은 서둘러 말을 접었다. 그러나 그 짧은 순간에도 한결은 무언가 느낀 듯했다. 그는 책을 가방에 넣으며 조심스럽게 말했다.

"지한 씨, 힘든 일이 있으면…. 그냥 책이나 나무처럼 가만히 두는 것도 나쁘지 않아요. 그런 것들은 항상 거기 있으니까요. 괜히 힘내려고 애쓰지 않아도 돼요.”

 지한은 그 말을 들으며 순간 숨이 멎는 듯했다. 한결의 말은 다정한 위로라기보다, 그저 진실 같았다. 무언가를 강요하지 않고, 있는 그대로 두겠다는 느낌. 그렇게 한결은 책을 대출한 뒤, 나지막이 인사를 남기고 도서관을 나섰다. 지한은 그의 뒷모습을 바라보며 손에 든 책을 살짝 움켜 쥐었다. 그의 말이 마음 한 구석에 작은 울림을 남긴 채, 서서히 스며드는 느낌이었다.

제 3장

잊혀진 실마리

 지한은 도서관 창문 너머로 보이는 세상에 흥미를 느끼기 시작했다. 그러나 그 호기심을 어디에다 쏟아야 할지 몰랐다. 그녀에게는 한 결과의 우연한 만남도, 나무의 이야기도 여전히 낯설게 느껴졌다. 그날 저녁, 그녀는 채현과 함께 카페에서 시간을 보내기로 했다. 채현은 지한의 몇 안되는 친구였다. 대학시절부터 이어진 관계였지만, 두 사람은 각자의 삶의 지나치게 깊이 관여하지 않았다, 그랬기에 더 오래 유지될 수 있었다.

"너 요즘 얼굴이 좀 괜찮아졌네."

채현이 커피를 홀짝이며 말했다.

"그래 보여?"

 지한은 고개를 갸웃 했다.

"응. 지난번엔 좀…. 텅 빈 느낌이었어. 지금도 완전히 괜찮아 보이는 건 아닌데, 뭐랄까…. 희미하게나마 색깔이 돌아오는 것 같아."

지한은 그녀의 말이 이상하게 느껴졌다.

"그게 무슨 뜻이야? 색깔이 돌아온다니."

채현은 미소를 지으며 지한을 바라보았다.

"그냥 그런 느낌이야. 네가 스스로 모를 수도 있지. 그런데 있잖아, 요즘 넌 뭔가 달라."

"달라?"

"응. 뭐라도 생각하기 시작한 것 같아 보여."

그 말에 지한은 잠시 침묵했다. 자신이 달라지고 있는 것조차 깨닫지 못했기 때문이었다. 채현은 지한의 커피 잔을 바라보며 말을 꺼냈다.

"너 예전에 글 쓰는 거 좋아했잖아."

지한은 흠칫 놀라며 고개를 들었다.

"그게…. 그랬지. 옛날 얘기야."

“그런데 왜 멈췄어? 너 그때 네 글 보여줄 때 얼마나 즐거워했는데.”

지한은 채현의 말에 대답하지 못했다. 글을 쓰던 자신이 지금의 자신과는 너무나 멀게 느껴졌다. 그때의 열정과 감정은 전부 사라져버린 듯했다. 지한은 그 때 그 시절을 기억한 듯 고개를 숙이고 말을 하기 시작했다.

“그냥…. 별로 의미가 없다고 느껴졌어. 누구한테 보여줘도 별로 특별하지 않았으니까.”

“그런 건 네가 정할 일이 아니잖아.”

채현은 단호한 목소리로 말했다.

“내가 볼 땐 네가 썼던 글, 꽤 멋졌어. 네가 얼마나 네 자신을 솔직하게 표현했는지 느껴졌다고.”

지한은 한숨을 쉬며 시선을 돌렸다.

“지금은 그럴 힘도 없어. 그냥 하루하루 살아가는 것도 벅차.”

채현은 말없이 고개를 끄덕였다.

"그럼 네가 썼던 글, 아직 가지고 있어?"
지한은 잠시 생각에 잠겼다.

"…. 어디엔가 있을지도 몰라. 옛날에 쓰던 다이어리랑 같이."

카페에서의 대화 후, 지한은 집으로 돌아왔다. 채현의 말은 지한의 마음 깊숙한 곳에서 잠들어 있던 오랜 기억을 불러 일으켰다. 작은 서랍장을 열자 먼지가 쌓인 노트와 다이어리가 나타났다. 그녀는 천천히 그것들을 꺼내어 거실 테이블 위에 펼쳐 보았다. 낡은 다이어리의 첫 장에는 익숙하면서도 낯선 필체로 쓰인 글귀가 적혀 있었다.

"이 감정들은 결국 어디로 가는 걸까? 사라지는 걸까, 아니면 나를 따라오는 걸까."

지한은 천천히 페이지를 넘기며 자신이 기록해 두었던 과거의 감정들을 읽었다. 다이어리 속의 자신은 지금보다 훨씬 생동감 있었고, 무언가를 갈구하고 있었다.

"그땐…. 이렇게까지 공허하진 않았는데."

하지만 기록된 페이지들 사이에는 긴 공백이 있었다. 한참동안 이어지던 글이 멈춘 채로, 몇달간 아무것도 적혀 있지 않았다. 그리고 마지막 페이지에는 단 한 문장만이 남아있었다.

"모두가 떠나고 나면, 나는 무엇을 남겨야 할까?"

지한은 그 문장을 읽고는 더이상 페이지를 넘길 수 없었다. 눈 앞이 흐릿해졌고, 알 수 없는 감정들이 밀려들었다. 잠시 후, 채현에게서 전화가 왔다.

"잘 들어갔어?"

채현의 목소리는 평소처럼 가벼웠다.

"응. 그런데 네가 말한 대로…. 옛날에 쓰던 다이어리를 좀 찾아봤어."

"정말? 기분이 어땠는데?"

지한은 잠시 말을 멈췄다.

"글쎄, 잘 모르겠어. 그냥…. 그때 내가 생각했던 게 지금과 너무 달라서 혼란스러워"

"그건 좋은 신호야. 적어도 너를 다시 생각하기 시작한 거잖아."

지한은 채현의 말을 곱씹었다. 자신을 다시

생각한다는 것. 그것은 지금껏 그녀가 하지 않았던 일이었다.

제 4 장

지한의 다이어리

　지한은 어두운 방 안에 혼자 앉아 있었다. 시간이 얼마나 흘렀는지 알 수 없었다. 해가 지면서 방 안은 점점 회색빛으로 물들었고, 단 하나의 빛이라곤 책상 위에 놓인 작은 스탠드뿐이었다. 은은한 주황빛 불빛이 책상 위로 흘러내렸다. 그 불빛이 서랍의 손잡이에 닿을 때마다 마치 오래된 기억들이 서랍 안에 가득 잠들어 있는 것처럼 느껴졌다. 지한은 조심스럽게 손을 뻗었다. 손끝이 서랍 손잡이를 감싸쥐고 멈췄다. 심장이 한 번 크게 뛰었다.

　'여는 게 맞을까?'

　머릿속에서 무수한 질문들이 떠올랐다. 이 서랍을 열어 봤자, 어쩌면 지금의 공허함만 더 깊어질지도 몰랐다. 그러나 이대로 피한다고 해서 채워지지 않는 공백이 사라지는 것도 아니었다. 지한은 눈을 감고 길게 숨을 들이

쉬었다. 마치 깊은 물속으로 뛰어드는 사람처럼 단단히 마음을 붙잡고 다시 서랍을 열었다.

"덜컹."

무겁게 열린 서랍 안에는 몇 권의 책과 오래된 펜, 그리고 낡은 다이어리가 있었다. 가장자리가 헤지고, 군데군데 흠집이 난 그 다이어리는 마치 자신의 마음을 보는 것 같았다. 손끝이 떨리면서도 지한은 다이어리를 꺼냈다. 손바닥에 느껴지는 묵직함. 오랜 시간 잊고 지냈던 무언가가 다시 깨어나는 듯했다. 다이어리를 손에 쥔 채 지한은 잠시 움직이지 않았다. 손바닥에서 전해지는 감촉이 과거의 기억을 서서히 불러내고 있었다. 책상 위에 다이어리를 올려놓고, 천천히 표지를 쓰다듬었다. 손끝이 마치 과거의 감정을 더듬고 있는 것 같았다. 떨리는 숨을 내쉬며 지한은 조심스럽게 다이어리를 다시 읽어 보았다.

2020년 3월 14일

봄은 역시 좋다. 나도, 내 마음도 조금씩 따뜻해지는 것 같다.

그날의 햇살, 가벼운 바람, 창가에서 바라본 평화로운 도서관 풍경이 떠올랐다. 그날의 나는 작고 평범한 행복에 설레었구나. 그 작은 행복들이 모여 마음을 채워주고 있었다는 걸, 왜 그땐 몰랐을까. 다음 장을 넘기자 손글씨가 정성스럽게 쓰여있었다.

2020 년 4 월 2 일

새로 들인 식물 덕분에 도서관 창가가 더 푸르러졌다. 작은 초록 잎이 나에게도 새 생명을 불어넣는 것 같다.

창가에 놓여있던 그 작은 화분이 머릿속에 떠올랐다. 그 식물을 돌보며 나 역시도 조금씩 자라려고 애썼던 기억. 지금은 그 식물이 어떻게 되었을까. 그 작은 생명은 아직도 푸르게 자라고 있을까. 페이지를 넘길 때마다 묻어나는 지난날의 감정들. 환하게 웃던 나, 설렘으로 가득했던 하루들, 작은 것에도 위로 받았던 순간들. 마치 오래된 사진첩을 보는 것처럼 그 때의 감정이 되살아났다.

2020 년 5 월 10 일

아이들이 책을 고르는 모습이 참 예뻤다. 그 순수한 눈빛을 보니 마음이 따뜻해진다. 나도 저렇게 반짝일 때가 있었겠지.

그날의 도서관 풍경이 어렴풋이 그려졌다. 책을 꼭 쥔 작은 손들, 반짝이던 눈동자들, 그리고 그 손에 건넨 책 한 권이 만들어낸 행복. 작은 도움과 따뜻한 시선이 나를 지탱해주던 순간이었다. 손끝이 종이를 넘길 때마다 조금씩 마음이 풀리는 기분이 들었다. 꽁꽁 닫아 두었던 마음의 문틈이 서서히 열리는 것 같았다. 잊고 있었던, 아니 애써 묻어 두었던 기억들이 여전히 내 안에 살아 있었다. 이어서 적힌 문장을 읽어 내려가다 문득 멈췄다.

2020 년 6 월 21 일

비 오는 날의 도서관은 마치 다른 세상 같다. 빗소리와 책장 넘기는 소리가 어우러져 마음이 평화롭다. 이런 날, 모든 게 잠시 멈춘 것 같다.

잠시 눈을 감았다. 그 날 들었던 빗소리와 책 냄새가 코 끝을 스치는 듯했다. 그날의 고요함과 안온함이 다시 마음 한 구석을 차지했다. 다이어리를 덮으며 천천히 숨을 내쉬었다. 이 작은 책에 적힌 일기들은 모두 나의 조각들이었다. 잃어버렸다고 생각했던 나의 감정들, 무뎌졌다고 생각했던 설렘과 평온함이 여기에 고스란히 남아 있었다. 손끝이 미세하게 떨렸다. 다시 이 다이어리를 펼칠 용기를 내기까지 오래 걸렸지만, 그동안의 나는 여전히 여기 있었구나. 잠시 길을 잃었어도, 나는 여전히 나를 찾을 수 있다는 생각에 조금은 따뜻해졌다. 다이어리를 천천히 닫으며 마음 속에서 잔잔한 목소리가 들려왔다.

"괜찮아, 이제 다시 시작해도 돼."

오늘의 나는 여전히 숨을 쉬고 있고, 여전히 글을 쓸 수 있으니까.

제 5장

나무의 재생

 며칠 후, 지한은 자신도 모르게 다시 한결의 목공소 앞에 서 있었다. 문이 반쯤 열렸고, 내부에서 들려오는 기계음과 나무를 다루는 소리가 익숙하게 느껴졌다. 그녀는 망설이다 손잡이를 밀고 안으로 들어갔다.

 "오셨어요?"

 한결은 고개를 돌려 지한을 보며 짧게 미소를 지었다. 그는 작업대에 앉아 무언가를 조립하고 있었다. 바닥에는 나무 조각들이 깔려져 있었고, 그 위로 따뜻한 햇빛이 번졌다.

 "들어와요. 지금 의자 완성하는 중이었어요."

 지한은 조심스레 다가갔다. 작업대 위에는 부드럽게 다듬어진 나무 조각들이 이어져 의자 형태를 이루고 있었다.

"이게 저번에 말씀하셨던 그 의자인가요?"

지한이 물었다.

"네, 거의 완성됐어요. 이제 마감만 하면 돼요."

한결은 손으로 나무를 천천히 쓸어내리며 말했다.

"표면이 부드러워질 때까지 시간을 좀 들여야 하거든요."

그는 옆에 놓인 사포를 지한에게 건넸다.

"한 번 해보실래요? 간단해요. 나뭇결을 따라 천천히 문지르면 돼요."

지한은 갑작스러운 제안에 잠시 당황했지만, 그의 시선을 피해 사포를 받아 들었다. 지한은 사포를 들고 나뭇결을 따라 천천히 문질렀다. 거칠던 나무 표면이 점점 부드러워지는 느낌이 손 끝으로 전해졌다. 그녀는 사포질에 집중하며 의아한 감정을 느꼈다.

"처음 해보는 건데, 이상하게 차분해지네요."

지한이 말했다.

"나무를 다루다 보면 그런 순간이 와요. 모든 게 단순해지거든요. 그저 나뭇결에 따라 움직이는 거니까."

한결의 말에 지한은 끄덕였다. 그녀는 마치 무언가를 새로 배우는 기분이었다. 손끝에서 드리워지는 나무 표면은 단순한 나무 이상의 의미를 지닌 것 같았다. 한결의 이야기를 가만히 듣다가 문득 자신의 손을 내려 보았다. 사포질로 인해 약간 붉어진 손끝은 그녀가 오랜만에 무언가에 집중했음을 보여주는 듯했다. 그 단순한 동작이, 마치 그녀의 마음을 쓰다듬는 것처럼 느껴졌다. 그녀는 처음으로 자신을 관찰할 수 있는 시간을 가졌다.

"저도…. 그런 나무였던 것 같아요."

지한은 작게 웃으며 말했다.

"겉만 보고는 다 끝났다고 생각했는데, 속에는 뭔가 남아있을지도 모르죠."

한결은 조용히 고개를 끄덕였다.

"모두가 그래요. 우리가 그것을 발견할 기회를 주기 전까진 아무도 알 수 없죠."

지한은 고개를 숙여 나무를 다시 만지기 시

작했다. 그녀는 자신도 모르게 결을 따라 천천히 손을 움직였다. 이 나무처럼, 자신에게도 다시 다듬어질 시간이 필요하다 생각했다. 한결은 잠시 작업을 멈추고 지한을 바라보았다.

"혹시 이 나무가 원래 어떤 상태였는지 알고 싶어요?"

"어떤 상태였는데요?"

지한은 잠시 손을 멈추고 고개를 들었다.

"처음엔 여기저기 금이 가고, 표면도 많이 부식 돼있었어요. 제대로 된 결을 찾을 수 없었죠. 하지만 속은 멀쩡했어요. 그냥 겉을 벗겨내는 데 시간이 좀 걸렸을 뿐이에요."

그는 나무의 옛 흔적을 가리키며 말했다.

"여기 보세요. 이 자국들은 원래 있던 상처예요. 완전히 없앨 수는 없지만, 이제는 이런 상처도 의자의 일부가 됐죠. 어떤 의미로는 이게 의자를 더 독특하게 만드는 거고요."

지한은 그의 말을 가만히 들으며 생각에 잠겼다.

"결국…. 상처도 남는 거군요."
지한은 조용히 말했다.

"그렇죠. 다만 그 상처를 어떻게 받아들이냐
가 문제일 뿐이에요."

한결은 잠시 망설이더니, 나지막한 목소리로
말했다.

"사실 저도 이 일을 시작하기 전엔 공백 같
은 시간을 보낸 적이 있어요."

지한은 그의 고백에 눈길을 돌렸다.

"공백 같은 시간?"

"예전에 많이 힘들었거든요. 사람들과의 관
계도 엉망이었고, 아무것도 잘 풀리지 않았어
요. 그때 목공을 배우기 시작했어요. 단순히
뭔가를 만들어내는 게 아니라, 나무를 다듬으
면서 제 자신을 정리하는 기분이 들더라고요.
나무를 깎아낼 때마다 제 안의 혼란도 조금씩
사라졌어요."

그는 미소를 지으며 덧붙였다.

"그러다 보니, 지금은 이렇게 살고 있네요.
상처도 많고 결도 엉망이었던 나무가 공백이

었던 제 삶을 바꿔줬으니까."

지한은 한결의 얘기를 들으며, 자신이 나무와 닮아 있다는 생각이 들었다. 그녀의 마음도 겉은 거칠고 상처투성이였지만, 어딘가에는 숨겨진 결이 있을지도 모른다는 희망이 떠올랐다.

"저도…. 나무처럼 될 수 있을까요?"

지한은 조심스럽게 물었다. 그러자 한결은 미소를 지으며 말했다.

"물론이죠. 누군가는 다듬어질 준비만 되어있으면 된다고 말하더라고요. 그게 나 자신이면 더 좋고요."

제 6장

함께하는 손길

지한은 한결의 목공소의 종종 들리게 되었다. 처음에는 단순히 사포질을 돕는 정도였지만, 점차 한결의 직업을 도우며 더 많은 시간을 보내게 되었다. 목재를 손으로 만지고, 사포질을 하고, 망치를 들어 작은 못을 박는 일은 그녀의 삶에 작은 변화를 가져다주었다.

"오늘은 작은 작업 하나 맡아 보시겠어요?"

한결은 지한에게 다듬지 않은 나무판을 건네며 말했다.

"이걸로 작은 상자를 만들어 보죠. 복잡하지는 않을 거예요."

지한은 당황스러웠지만, 한결의 지시에 따라 나뭇결을 따라 천천히 톱질을 시작했다. 처음엔 톱이 흔들려 직선이 나오지 않았고, 나무의 표면은 거칠었다.

“나무를 너무 억지로 밀 필요 없어요. 톱이 결을 따라 움직이도록 맡겨보세요.”

한결의 조언대로 천천히 톱질을 하자, 마치 나무가 그녀의 움직임을 받아들이는 듯했다. 지한은 점점 그 과정에 몰입하게 되었고, 자신도 모르게 미소를 지었다. 작업이 끝날 무렵, 작은 나무 상자가 완성되었다. 손으로 만져본 상자는 아직 거칠었지만, 지한은 왠지 모를 뿌듯함을 느꼈다.

“이게 내 첫 작품이라니…. 이상하게 기분이 좋네요.”

“뭔가를 만든다는 건 그래요. 그 과정에서 자신을 조금씩 찾아가는 거죠.”

한결은 상자를 살펴보며 말했다. 어느 날, 한결은 지한에게 특별한 나무조각을 보여주었다. 그 조각은 크지 않았지만, 옅은 무늬가 나뭇결을 따라 흐르고 있었다.

“이건 버드나무예요. 보통 가구를 만들기엔 약한 나무지만, 감정을 담기엔 딱 좋아요.”

“감정을 담는다고요?”

“그렇죠. 나무마다 저마다의 이야기가 있어

요. 버드나무는 유연하고 섬세해서, 사람들의 마음을 잘 받아준다고 해요. 그 나무로 뭘 만들어 볼까요?"

지한은 버드나무를 손에 쥐고 천천히 바라보았다. 손 끝에 닿는 감촉은 부드럽고 따뜻했다.

"뭘 만들지…. 아직은 잘 모르겠어요. 그런데 뭔가 떠오를 것 같아요.

"그럼 천천히 생각해 봐요. 시간은 충분하니까."

지한은 점점 한결과 함께하는 시간이 많아지면서 자신의 변화를 채현에게 이야기하게 되었다.

"나, 요즘 한결 씨 작업소에 자주 가."

"정말? 무슨 일 도와주는 거야?"

"그냥 나무 깎고, 사포질하고….이상하게 그게 재미있더라."

채현은 미소를 지으며 말했다.

"그런 일에 흥미를 느낀다니, 너 많이 달라

졌네.”

“달라졌다고 느껴져?”

“응. 네가 요즘엔 조금씩 밝아지는 것 같아. 뭔가를 하면서 너 자신을 다시 찾아가고 있는 느낌이랄까.”

지한은 채현의 말을 들으며 자신도 조금은 그렇게 느끼고 있음을 깨달았다. 어느 날 작업을 마친 후, 지한은 한결에게 물었다.

“한결 씨는…. 어떻게 그렇게 단단해질 수 있었어요? 공백 같은 시간을 보냈었다고 했잖아요.”

한결은 잠시 망설이다가 대답했다.

“사실 단단하다는 느낌 보다는, 그 시간을 견뎠다는 게 맞는 표현일지도 모르겠어요. 그저 계속 나무를 만지면서 버텼거든요.”
“왜 하필 나무였어요?”

“나무는 항상 진실하니까요. 거짓말을 하지 않아요. 결을 거스르면 금세 부서지고, 잘 다루면 그만큼 아름답게 변해요. 제가 처음 나무를 다루기 시작했을 때, 그 진실함이 저에게 위안이 되었던 것 같아요.”

지한은 그의 말을 곰곰이 되새겼다. 나무의 결처럼, 자신의 마음도 그렇게 진실한 모습으로 받아들일 수 있다면 그녀는 조금 더 나아질 수 있을 것 같았다. 지한은 자신이 조금씩 변해가고 있음을 느꼈다. 과거엔 잊고 싶었던 감정과 기억들을 이제는 마주할 준비가 된 것 같았다. 나무를 깎으며, 그녀는 자신을 다시 정리해 가는 기분을 느꼈다. 어느 날, 지한은 작업소에 혼자 남아 작은 조각을 완성했다. 그것은 그녀가 손수 만든 버드나무 조각으로, 나뭇잎 모양의 단순한 장식품이었다. 한결이 그것을 보며 말했다.

"멋지네요. 그걸 만들면서 무슨 생각을 했어요?"

"그냥…. 나도 이런 결이 있었으면 좋겠다고 생각했어요. 단순하면서도 부드러운 그런 결"

한결은 웃으며 말했다.

"이미 그런 결이 보이기 시작한 것 같아요."

제 7장

과거의 조각

 지한은 점점 나무 작업에 몰두하면서 자신이 묻어 두었던 과거의 기억들과 마주하기 시작했다. 그녀는 한결의 목공소에서 손으로 나무를 깎으며, 자신도 모르게 과거의 감정들을 떠올리곤 했다. 그것은 고통스럽지만 동시에 피할 수 없는 과정이었다. 그날 저녁, 지한은 오랜만에 서랍 속을 정리하다가 한 장의 사진을 발견 했다.

"이건….."

 사진 속에는 떠나버린 옛 친구, 그리고 미소를 짓던 자신의 모습이 담겨있었다. 지한은 사진을 바라보다가 그 시절 기억에 휩싸였다. 기억속의 지한은 열정으로 가득 차 있었다. 그녀는 글을 쓰며 친구들과의 시간을 즐겼고, 자신이 무언가를 만들어 낼 수 있다는 사실에 행복감을 느꼈다. 그러나 그녀는 어느 순간 그 모든 것이 흔들리는 것을 경험했다. 지한은 사진을 손에 들고 한참동안 고민했다. 그리고 조심스럽게 한결에게 전화를 걸었다.

"이 시간에 무슨 일 이예요?"

한결의 목소리는 평소처럼 차분했다.

"그냥…. 좀 혼란스러워요. 정리하고 싶어서."

"혼란스러운 건 좋은 신호예요. 무언가를 직면하려는 거니까요."

지한은 한결에게 사진 속 이야기를 털어 놓기 시작했다. 사진 속 친구와의 관계, 그리고 그 관계가 무너졌던 순간들. 그것은 지한이 오래도록 피하려고만 했던 기억들이었다.

"그 친구와의 마지막 기억이 아직도 생생해요. 그날 이후로 글 쓰는 것도 멈췄어요. 아무것도 의미가 없게 느껴졌었거든요."

한결은 잠시 침묵하다가 말했다.

"그 친구는 당신에게 소중한 사람이었겠네요. 그러니까 그만큼 상처도 컸을 거고요."

"그래요. 그런데 그 사람도, 그 기억도 이제

는 잊고 싶어요. 그게 가능 할까요?"

"잊는다고 해결되진 않을 거예요. 하지만 그 기억을 다른 시각으로 바라보는 건 가능하죠. 어쩌면 나무처럼, 그 상처를 새로운 결로 받아들일 수 있을지도 몰라요."

다음 날, 지한은 과거의 다이어리를 다시 꺼냈다. 마지막 페이지를 펼쳐본 그녀는 자신이 적어 두었던 문장을 읽었다.

"모두가 떠나고 나면, 나는 무엇을 남겨야 할까?"

"떠나지 않은 것은 무엇일까? 그리고 남길 수 있는 것은 무엇일까?"

지한은 잠시 펜을 내려 놓고 손 끝으로 종이를 만지작거렸다. 지한은 펜을 들어 그 아래에 새로운 문장을 적기 시작했다.

"나는 여전히 여기 있다. 그리고 내가 떠난 것은 아니다."

그 문장을 적으면서 지한은 알 수 없는 해방감을 느꼈다. 마치 과거의 자신에게 작별을 고하면서 동시에 새로운 지한을 받아들이는 기분이었다. 지한은 자신이 완성한 나무 조각을 한결에게 보여주었다. 그것은 사진 속 친구의 이니셜을 조각한 작은 작품이었다.
"이건 그 친구를 위한 건가요?"

한결이 물었다.

"맞아요. 이제는 그 친구를 떠나보낼 준비가
된 것 같아요. 이걸 만드는 동안, 과거의 기
억들이 나를 무겁게 짓누르기 보다는, 오히려
나를 가볍게 만드는 느낌이었어요."

한결은 그 작품을 가만히 바라보다 말했다.

"멋지네요. 그 친구도 지한 씨의 마음을 느
꼈을 거예요."

지한은 완성된 나무조각을 들고 한결과 함께
숲으로 향했다. 그곳은 한결이 자주 가는 조
용한 장소였다. 그는 지한에게 작은 구덩이를
파도록 했다.

"이곳에 지한 씨의 작품을 묻어보세요. 그
친구와의 기억도 함께요. 이제는 새로운 시작
을 할 시간이에요."

지한은 조각을 구덩이에 조심스럽게 내려 놓
고 흙을 덮었다. 그녀의 눈에선 눈물이 흘렀
지만, 그것은 슬픔만이 아닌 해방의 눈물이었
다. 한결이 나지막이 말했다.

"이제는 지한 씨의 시간을 살아가세요. 그 친구의 기억은 지한 씨의 일부로 남아 있을 테니까요."

제 8장

새로운 결

지한은 숲에서 나무 조각을 묻은 후, 자신이 조금 달라졌음을 느꼈다. 마음 한구석을 항상 무겁게 누르던 무언가가 사라진 듯했다. 그녀는 이제 한결의 목공소에서 머무는 시간이 점점 길어졌고, 단순히 일을 돕는 것을 넘어 자신만의 작품을 만들기 시작했다.

"오늘은 뭘 만들어볼 건가요?"

한결이 묻자, 지한은 웃으며 말했다.

"작은 책상 하나 만들어보고 싶어요. 내가 다시 글을 쓸 수 있도록요."

한결은 놀란 듯 그녀를 잠시 바라보다가 고개를 끄덕였다.
"좋아요. 그럼 함께 준비해 보죠."

그들은 함께 재료를 고르고, 지한은 톱질과

사포질을 하며 자신만의 책상을 만들기 시작했다. 작업 중간중간, 지한은 손이 아프기도 하고 결이 생각대로 나오지 않아 좌절도 했지만, 한결은 옆에서 조용히 도와주며 지한을 격려했다.

"괜찮아요, 처음부터 잘할 수는 없잖아요. 같이 열심히 해봐요."

지한은 완성된 책상 위에 오래 묵혀 둔 공책을 펼쳐 두었다. 그녀는 펜을 들고 잠시 망설이다가, 공책에 첫 페이지에 새로운 글을 적기 시작했다.

"다시 시작하는 날, 나의 마음은 새로운 결을 맞이한다."

지한은 글을 쓰며 자신도 모르게 미소를 지었다. 예전처럼 화려하거나 긴 문장은 아니었지만, 한 줄 한 줄 적을 때마다 마음이 정리되는 기분이었다. 채현이 그녀의 글을 읽고 미소를 지었다.

"드디어 너 답게 돌아온 것 같아."

"아직 완전히 돌아온 건 아니야. 하지만 이제 시작했으니까, 괜찮아."

어느 날, 한결은 지한에게 숲을 가자고 제안했다. 두 사람은 천천히 숲길을 걸으며 이야기를 나눴다.

"지한 씨, 요즘엔 많이 편안해 보이네요."

"네. 이제는 공백이라는 게 꼭 나쁜 것만은 아니란 걸 알게 됐어요. 그 시간이 있었기에 내가 지금 이 자리에 설 수 있었으니까."

한결은 고개를 끄덕였다.

"그렇죠. 공백은 새로운 결을 만들 준비를 하는 시간 일 수도 있거든요."

"한결씨는 항상 그렇게 사람을 도와주는 걸 좋아하죠

"도움이라 기보다는…. 나무와 함께 시간을 보내는 게 제게도 치유니까요. 그걸 다른 사람들과 나누고 싶을 뿐이에요."

지한은 그 말을 듣고 한결을 조용히 바라보았다. 그의 차분함 속에는 깊은 이해와 따뜻함이 스며 있었다. 한결은 지한에게 한가지 아이디어를 제안했다.

"우리 작품 하나 만들어 볼래요?"

"같이요?"

"네. 지한 씨가 글을 쓰고, 저는 그 글을 담을 나무 작품을 만드는 거예요."

지한은 잠시 고민하다 고개를 끄덕였다.

"좋아요. 뭘 만들면 좋을까요?"

"지한 씨가 쓰고 싶은 이야기를 나무로 표현해 보는 거죠."

두 사람은 재료를 함께 고르고, 지한의 글을 중심으로 나무의 조각을 새기기 시작했다. 지한은 자신의 글이 나무 위에 새겨지는 과정을 보며, 자신이 기억의 기억과 공백을 넘어 새로운 이야기를 만들어가고 있음을 느꼈다. 그들의 공동 작품은 작은 전시회에 출품되었다. 그것은 나무로 만든 작은 책상과 그 위에 얹힌 지한의 글이었다. 전시장에 방문한 사람들은 작품을 보며 깊은 감명을 받았다. 지한은 한결과 함께 전시장을 돌아보며 조용히 말했다.

"예전엔 이런 자리에 설 수 없었을 거예요. 그런데 이제는 괜찮아요. 공백이 지나고 나니, 제 안에 새로운 무언가가 채워진 것 같아요."

한결은 미소를 지으며 말했다.
"그 결이 지금의 지한 씨를 만든 거겠죠."

지한은 전시회를 마친 후 채현과 카페에서 만났다. 두 사람은 따뜻한 차를 마시며 대화를 이어갔다.

"요즘 너 정말 달라졌어."

채현이 말했다.

"그런가? 나도 그렇게 느껴."

"전시회 작품도 정말 멋졌어. 그 글, 네 자신을 담은 거지?"

지한은 잠시 침묵하다 고개를 끄덕였다.

"응, 내 이야기를 담았어. 이제는 나 자신을 감추고 싶지 않아."

"한결 씨 덕분인가?"

지한은 미소를 지으며 말했다.

"맞아. 하지만 결국에는 내가 내 마음을 들여다본 덕분이기도 해."

채현은 진심 어린 미소를 지었다.
"네가 이렇게 변화한 모습, 정말 보기 좋아. 이제는 너도 네 인생을 스스로 만들어 갈 수 있을 거야"

지한은 한결의 작업소를 마지막으로 방문했다. 이번에는 자신이 한결에게 자그만한 선물을 준비해갔다.

"이건 뭐죠?"

한결이 묻자, 지한은 조심스럽게 나무로 만든 작은 상자를 건넸다.

"내가 직접 만든 거예요. 이제 나도 제법 할 줄 알거든요."

상자 안에는 그녀가 새로 쓴 짧은 글이 담겨 있었다.

"당신이 나를 치유했듯, 나도 당신을 치유할 수 있기를."

한결은 그 글을 읽고 고개를 들었다. 그의 눈에는 고마움과 감동이 담겨있었다.

"이건 정말 특별한 선물이네요. 고마워요"

"저도 한결 씨 덕분에 많은 걸 배웠어요. 그리고 이제는 제 길을 찾아가야 할 것 같아요."

지한은 전시회를 계기로 더 많은 글을 쓰기 시작했다. 그녀는 자신이 직접 만든 책상에서 하루하루 새로운 이야기들을 만들어냈다. 그 글들은 과거의 상처와 회복, 그리고 삶의 작은 기쁨들에 관한 것이다. 어느 날, 지한은 자신이 만든 글을 엮어 작은 책으로 출간하기로 했다. 그녀는 출판사를 찾는 과정에서 많은 거절을 받았지만, 그 마저도 그녀를 더 단단하게 만들어 주었다. 결국 그녀의 이야기는 작은 출판사를 통해 세상에 나오게 되었다. 출간 기념회 날, 지한은 한결과 채현을 초대했다.

"이 책은 나 자신에게 보내는 편지예요. 그리고 나를 여기까지 오게 도와준 사람들에게 드리는 감사의 마음이기도 하고요."

기념회가 끝난 후, 지한과 한결은 목공소 한쪽에 마련된 작은 작업대에 나란히 앉았다. 바깥의 소란스러운 웃음소리와 박수는 점점 멀어져갔고, 두 사람 사이에는 고요한 긴장이 흘렀다. 지한은 고개를 숙인 채 한결의 손끝에서 움직이는 나무조각을 봤다.

"한결 씨,"

지한이 조심스럽게 입을 열었다.

"왜 이 일을 계속 하세요? 한결 씨는 더 큰 곳에서 일할 수도 있었을 텐데."

한결은 멈추지 않고 조각 칼을 움직이며 대답했다.

"나무를 다룰 때, 정직하지 않으면 금방 티가 나요. 자르거나 깎는 방식, 힘의 균형, 심지어 숨소리까지. 이건 내 일이라기보단 살아가는 방식 같아요."

지한은 그의 옆모습을 바라보다가 다시 물었다.

"그런데 왜 나무를 통해 사람을 돕는 거예요? 한결 씨가 나를 받아준 것처럼."

한결은 손을 멈추고 지한을 향해 고개를 돌렸다.

"사람도 나무 같거든요. 겉은 단단해 보이지만, 속은 상처투성이일 때가 많아요. 그냥…. 그런 사람들을 좀 다듬어 주고 싶었어요. 그리고 스스로 아름다워질 수 있게."

지한은 그의 말에 잠시 생각에 잠겼다.

"그럼 나는 어떤 나무 같나요?"
한결은 미소를 지으며 말했다.

"처음엔 부러진 나뭇가지 같았죠. 하지만 지금은, 다시 뿌리를 내리려는 통나무 같아요. 아직 가공되지 않은 가능성으로 가득한."

지한은 그 말에 웃음을 터뜨렸다.

"그거 칭찬 맞아요?"

"물론이죠. 제일 단단하고 오래가는 나무는 아직 손길을 많이 타지 않은 법이거든요."

몇달 후, 지한은 목공소 한편에 마련된 새로운 공간에서 타자를 두드리고 있었다. 한결은 그녀의 맞은편에서 나무를 다듬으며 눈길을 보냈다.

"지한 씨, 글은 잘 나가요?"

"조금요. 그런데 가끔 한결 씨가 하는 말들이 글로 더 잘 어울릴 때가 있어요."

지한은 농담처럼 웃었다.

"언젠가 우리가 함께 작업할 수도 있겠네요"

한결은 끄덕이며 조각 칼을 내려 놓았다.

"그럼, 이런 문장은 어때요? '한 사람의 이야기는 나무와 같다. 상처는 결을 만들고, 그 결은 이야기를 담는다.'"

지한은 놀란 듯 타자를 멈췄다.

"그거…. 정말 멋지네요."

"그럼 그 문장은 지한 씨 작품에 맡기고, 나는 나무로 새길게요."

지한과 한결은 이제 목공소의 파트너였다. 지한은 글을 쓰고, 한결은 나무로 이야기를 새겼다. 공방의 벽 한쪽에는 손님들이 남기고 간 메시지와 한결이 새긴 조각들이 걸려 있었다. 어느 날, 한 손님이 벽에 새겨진 문장을 읽으며 말했다.

"이 나무, 누가 만든 거예요? 글이랑 딱 맞는 느낌이에요."

지한은 미소를 지으며 대답했다.

"우리가 같이 만든 거예요. 삶도 그렇잖아요. 각자의 결을 합쳐서 새로운 이야기를 만드는 거."

공방 안은 따뜻한 나무 냄새와 두 사람의 조용한 대화로 가득 찼다. 이제 그들에게 삶은, 단순히 무언가를 완성하는 과정이 아닌, 서로를 채워가는 여정이었다.

에필로그 1

빛을 잃은 날의 시작

지한이 서아를 만난 건 초등학교 3학년 봄이었다. 그해는 유난히도 벚꽃이 활짝 피었던 해였다. 학교 교문을 들어서자 마자 꽃잎들이 바람에 흩날리며 마치 환영 인사를 하는 듯했다. 지한은 책가방을 가볍게 메고 교실로 돌아섰다. 친구들의 웅성거리는 소리와 웃음 소리가 가득했다. 하지만 그날 지한의 시선을 사로잡은 건 한 구석에 앉아 있던 여자 아이였다. 짧은 단발 머리에 커다란 눈망울이 유난히 반짝이던 아이. 그녀는 창가에 앉아 나무를 멍하니 바라보고 있었다. 지한은 자연스럽게 그 아이의 옆자리에 앉았다.

"안녕! 너 새로 전학 왔어?"

라고 물었다. 아이는 잠시 지한을 보더니 조용히 고개를 끄덕였다.

"이름이 뭐야?"

"서아야. 한서아."

지한은 환하게 웃으며 손을 내밀었다.

"나는 지한! 같이 놀자."

서아는 조금 망설이다가 지한의 손을 잡았다. 그 순간 둘 사이에 흐르던 어색함이 녹아내렸다. 그 후로 둘은 마치 오래된 친구처럼 붙어 다녔다. 쉬는 시간에는 운동장에서 뛰어 놀았고, 점심시간에는 밥을 함께 먹었다. 지한은 서아에게 늘 재미있는 이야기와 농담을 늘어놓았고, 서아는 그 이야기에 깔깔 웃으며 반짝이는 눈빛을 보였다. 어느 화창한 봄날, 학교 수업이 끝나자 마자 지한과 서아는 공터로 달려갔다. 공터는 작은 동네 놀이터 옆에 있었고, 둘에게는 세상에서 가장 넓고 자유로운 곳이었다. 지한은 주머니에서 구겨진 종이비행기를 꺼내 흔들어 보였다.

"오늘은 누가 더 멀리 날리는지 내기하자."

서아의 눈빛이 반짝였다.

"좋아! 지면 아이스크림 사기야!"

지한은 자신만만하게 비행기를 하늘 높이 던졌다. 비행기는 바람을 타고 휘청이며 날아갔다가 공터 한가운데로 떨어졌다.

"봤지? 내가 이겼다!"

지한이 손을 번쩍 들었다. 서아는 입을 삐쭉이며 종이비행기를 접었다. 그녀는 진지하게 비행기의 날개를 조정하고 심호흡 했다.

"이번엔 내가 이길 거야!"

서아의 비행기는 바람을 타고 더 멀리 날아가 놀이터 철봉 앞까지 착륙했다. 지한은 눈이 휘둥그레졌다.

"서아야, 너 천재 아니야?"

서아는 환하게 웃었다.

"이제 아이스크림은 네가 사야지!"

둘은 동네 슈퍼로 달려갔다. 지한이 초콜릿 아이스크림을 사고 서아는 딸기 아이스크림을 골랐다. 벤치에 앉아 아이스크림을 핥으며 둘은 발을 앞뒤로 흔들었다.

"평생 너랑 이렇게 놀았으면 좋겠다."

지한이 말했다. 서아는 입 안에 아이스크림

을 가득 물고 끄덕였다.

"응. 우리 꼭 평생 같이 놀자!"

초등학교 4학년 여름, 장마철의 비가 억수같이 내리던 날이었다. 대부분의 아이들은 비를 피해 교실 안에만 있었지만, 지한과 서아는 달랐다.

"서아야, 밖에 나가서 비 맞아볼래?"

지한이 창문 밖을 보며 말했다. 서아의 눈이 반짝였다.

"진짜? 그럼 옷 다 젖어도 괜찮아?"

"괜찮아! 어차피 집에 가서 씻으면 되지."

둘은 신발을 벗고 맨발로 운동장으로 뛰어나 갔다. 빗물이 발가락 사이를 적시고, 물 웅덩이가 이리저리 튀었다. 서아는 웃으며 지한에게 물을 튀겼다.

"이거 받아라!"

지한은 깔깔 웃으며 더 큰 물 웅덩이를 밟아 서아에게 물을 튀겼다. 서아의 머리칼과 옷은 흠뻑 젖었지만, 마음은 세상 그 무엇보다도

가벼웠다. 비 내리는 하늘 아래서 둘만의 세상은 환하게 빛나고 있었다. 놀다 지친 둘은 교실로 들어와서야 서로를 보며 웃음을 터뜨렸다.

"우린 진짜 바보같아!"

서아가 말했다.

"맞아! 하지만 이런 바보라서 좋아."

지한은 서아를 향해 환하게 웃었다. 그 날 이후, 비 오는 날은 둘에게 특별한 날이 되었다. 중학교 2학년이 되면서, 둘 사이에는 보이지 않는 거리가 조금씩 생기기 시작했다. 사춘기가 찾아오고, 서로의 관심사도 달라졌다. 지한은 여전히 명랑했지만, 서아는 점점 더 말 수가 줄어들고 생각에 잠기는 일이 많아졌다. 서아의 집안 사정이 좋지 않았다. 부모님의 잦은 다툼과 경제적 어려움은 서아의 마음에 어두운 그림자를 드리웠다. 하지만 그녀는 지한에게 이런 고민을 말하지 않았다. 밝은 지한을 자신의 어두운 문제로 끌어들이고 싶지 않았기 때문이다. 지한은 서아의 변화가 걱정되었지만, 어떻게 도와줘야 할지 몰랐다.

"서아야, 무슨 일 있어? 요즘 힘들어 보여."

"아냐, 아무 일도 없어."

서아는 웃으며 애써 괜찮은 척 했다. 하지만 그 웃음은 옛날처럼 반짝이지 않았다. 그럼에도 지한은 서아가 다시 밝아지길 바랬다. 언제나처럼 함께라면, 괜찮아질 거라고 믿었다. 모든 것이 깨진 건 중학교 졸업을 얼마 남기지 않은 겨울이었다. 그 날 서아는 지한을 불러냈다. 눈이 소복이 쌓인 공원에서 둘은 나란히 앉아 있었다. 서아는 조용히 입을 열었다.

"나…. 전학 가게 됐어."

지한은 그 말을 듣자마자 심장이 덜컥 내려앉는 기분이었다.

"전학? 어디로?"

"서울로 이사 가야 해. 아빠 직장 때문에….."

지한은 잠시 할 말을 잃었다. 눈앞의 서아가 흐릿해졌다.

"그럼…. 우리 언제 다시 볼 수 있어?"

서아는 아무 말도 하지 못했다. 그녀도 알고 있었다. 이별은 생각보다 훨씬 멀고 깊은 것

이란 걸.

"내가 연락할게."
 서아가 힘겹게 말했다. 하지만 지한은 그 말이 지켜지지 않을 거라는 걸 어렴풋이 느끼고 있었다. 눈이 내리던 그 날, 서아는 지한에게 마지막으로 말했다.

"지한아, 너는 항상 밝고 행복했으면 좋겠어."

 그 말을 끝으로 서아는 돌아섰고, 지한은 그녀의 뒷모습을 하염없이 바라보았다. 서아가 떠난 후, 지한의 세상은 변했다. 밝고 긍정적이었던 그녀가 점점 무표정 해졌다. 서아와 함께하던 시간들이 그녀의 마음속에서 끊임없이 떠올랐다. 함께 웃었던 날들, 비를 맞았던 날, 공터에서 종이 비행기를 날리던 순간들. 서아가 없는 세상은 텅 비어 있었다. 지한은 도서관에서 일하며 하루하루를 보냈다. 책 사이에 파묻혀 서아의 빈자리를 잊으려 애썼다. 하지만 도서관의 정적은 그녀의 마음 속 공허함을 더욱 깊게 만들었다. 혼자 남겨진 벤치, 함께 뛰놀던 공터, 빗속에서 장난치던 운동장. 그 모든 장소가 서아와의 기억을 붙잡고 있었다. 지한은 가끔씩 서아의 환한 웃음소리를 환청처럼 들었다.

"지한아, 나랑 평생 같이 놀자!"

그 약속을 이젠 지켜질 수 없었다. 서아는 그녀에게서 떠났지만, 지한의 시간은 여전히 그 순간에 멈춰 있었다. 텅 빈 마음 한 구석에서, 지한은 서아를 그리워하며 여전히 혼자였다.

에필로그 2

완성된 꿈

 늦은 오후, 목공소 안에는 노을 빛이 스며들어 따뜻한 황금색으로 물들어 있었다. 목공소는 이제 이 마을에서 단순히 나무를 깎아내고 조각하는 장소 그 이상의 의미를 지녔다. 지한은 작업대 위에 놓인 원고를 훑어보다가 고개를 들어 한결을 바라보았다.

 "한결씨,"

 지한이 불쑥 말했다.

 "오늘은 왜 이렇게 조용해요?"

 한결은 잠시 고개를 들며 그녀를 바라보다가,

미소 지었다.

"이제는 조용히 작업하는 것도 익숙해지지 않았어요? 목공소의 소리만큼 편안한게 없잖아요."

지한은 한결의 대답에 고개를 끄덕였지만, 뭔가를 더 묻고 싶은 듯한 표정을 지었다. 잠시 후, 그녀는 다시 입을 열었다.

"그런데…. 우린 앞으로 어떻게 될까요? 이렇게 함께 작업을 계속하다 보면, 어딘가로 나아가야 하지 않을까요?"

한결은 작업하던 나무를 내려놓고 천천히 지한을 바라보았다.

"나아가는 거라…. 지한씨는 뭘 하고 싶어요?"

지한은 그의 질문에 잠시 망설였지만, 곧 결심한 듯 말했다.

"난 우리가 만든 이 공간을 더 많은 사람들과 나누고 싶어요. 여기서 사람들은 자신의 이야기를 새기고, 각자의 결을 발견할 수 있도록."

한결은 그녀의 말을 듣고 고개를 끄덕였다.

"좋아요. 그럼 시작해 볼까요? 여기서, 우리만의 방식으로."

몇 주 뒤, 목공소는 작은 변화를 맞이했다. 지한과 한결은 새로운 프로젝트를 준비했다. 그들의 공방 한쪽에는 작은 전시 공간이 마련되었고, 그곳에서는 지한의 글과 한결의 나무 조각이 함께 전시되었다. 첫 번째 전시 주제는 '결의 이야기' 였다. 각 나무 조각에는 지한이 쓴 짧은 글귀가 새겨져 있었고, 그 글귀는 각기 다른 결을 가진 나무 조각과 절묘하게 어우러졌다. 손님들은 하나 둘 공방에 찾아오기 시작했다. 어떤 이는 글을 읽고 감동하여 조각을 구매하였고, 또 어떤 이는 자신의 이야기를 나무에 새겨달라고 요청했다. 지한은 공방 한쪽에서 손님들과 대화를 나누며, 그들의 이야기를 들었다. 한결은 조용히 나무를 다듬으며, 그 이야기들을 나무 결 속에 담아냈다. 이제 어느 날 저녁, 공방의 불빛 아래에서 지한과 한결은 작업을 마치고 차를 한 잔 나누고 있었다. 오늘도 많은 손님이 다녀 갔고, 공방은 이야기로 가득했다. 지한은 피곤한 얼굴로도 미소를 지으며 말했다.

"이렇게 많은 사람들이 자신의 결을 찾아가는 걸 보니까, 우리가 정말 뭔가 해내고 있는 것 같아요."

한결은 그녀의 말을 듣고 고개를 끄덕이며 조용히 말했다

"결국, 사람도 나무도 서로 기대어 자라는 법이니까요. 우리 공방이 그런 역할을 한다면, 그걸로 충분해요."

지한은 그의 말을 들으며 조용히 고개를 끄덕였다. 창 밖에는 바람이 불어오며 나뭇잎을 흔들고 있었다. 두 사람은 바람 소리를 들으며 잠시 말을 멈추고, 각자의 마음속에 새겨진 결을 되새겼다.

에필로그 3

새로운 계절

봄이 찾아왔다. 겨울 내내 잿빛 하늘 아래 잠잠히 웅크리고 있던 공방 앞 나무들이 이제야 눈을 뜬 듯 푸르른 새싹으로 생기를 뿜어 내기 시작했다. 간간이 들리는 새들의 지저귐과 함께 바람이 가지 사이를 스쳐 지나가면 나뭇잎이 작은 손짓으로 답을 건네는 듯했다. 공방 주변을 감싸고 있는 작은 마을에도 봄이 완연했다. 공방은 이제 이웃들에게는 없어서는 안 될 공간으로 자리 잡았다. 지한은 새로운 원고를 쓰기 위해 타자를 두드렸고, 한결은 또 다른 나무 조각에 손길을 더했다. 두 사람은 각자의 결을 통해 이야기를 만들었고, 그 결은 공방을 찾는 사람들에게 힘과 영감을 주었다. 지한이 문득 한결에게 물었다.

"혹시 우리의 이야기를 담은 조각을 만들어 본 적이 있었나요?"

한결은 잠시 생각하다가, 작업대 아래에서

작은 나뭇조각을 꺼내 지한에게 내밀었다. 그 조각에는 한결의 정교한 손길로 새겨진 나무와 그 옆에 새겨진 지한의 글이 있었다.

"결국, 우리는 각자의 이야기를 살아간다. 그리고 그 이야기는 다른 결과 만나 새로운 숲을 이루리라."

지한은 그 글귀를 읽으며 미소를 지었다.

"우리가 만든 숲, 앞으로도 계속 키워가요."

한결은 조용히 고개를 끄덕였다. 밖에서는 따뜻한 봄바람이 불어오고 있다.

그 결의 끝에서

발 행 | 2024년 12월 10일
저 자 | 육예서
펴낸이 | 한건희
펴낸곳 | 주식회사 부크크
출판사등록 | 2014.07.15.(제2014-16호)
주 소 | 서울 금천구 가산디지털1로 119, SK트윈타워 A
동 305호
전 화 | 1670 - 8316
이메일 | info@bookk.co.kr

ISBN | 979-11-419-2175-0

www.bookk.co.kr